To:
ANDREW
Dieses Buch ist für
IHR die anderes Lände wird sehen
am shiff,
All the Best,

DIE GROSSEN ENTDECKER

DIE REISE DES MAGELLAN

von Richard Humble

Illustrationen von
Richard Hook

Tessloff

Die **fettgedruckten Wörter** im Text werden im Anhang auf Seite 30 f. erläutert.

Herausgeberin: Sue Unstead

Designer: Ben White

Bildbeschaffung: Jan Croot

Karten: Hayward Art Group

Aus dem Englischen
von Helmut Mennicken

ISBN 3-7886-0972-9

Inhalt

Die Welt öffnet sich

Vor fünfhundert Jahren wurde die Menschheit Zeuge einer Reihe von erstaunlichen Entdeckungsreisen, die ihresgleichen erst in der Raumfahrt dieses Jahrhunderts fanden: die Eroberung der Ozeane unserer Erde.

Diese Reisen fanden zu einer Zeit statt, in der die Qualität der Schiffe und die Kenntnis der Meere gerade dazu ausreichten, daß Männer mit Phantasie und Mut ihr Ziel erreichen konnten. Wie bei den ersten Raumflügen trieb die Konkurrenz zwischen den Nationen die Erkundung der Meere voran: Das immer schneller werdende Rennen zwischen den Königreichen Spanien und Portugal sollte entscheiden, welches von beiden die reichste Handelsnation der Welt wurde.

Dem Sieger winkte tatsächlich reicher Lohn: Gold, Silber, Perlen und Gewürze aus Ostindien und Kathai, wie China damals hieß. Durch die früheren Reisen Marco Polos und anderer Entdecker waren der Reichtum und die Wunder des Fernen Ostens in Europa bekannt geworden. Doch um 1450 wurde der alte Landweg nach Kathai von feindlichen arabischen Händlern blockiert. Damit war der Startschuß für das Wettrennen um die Suche nach einem neuen Weg nach Osten gefallen – übers Meer.

Als erstes Hindernis mußten die europäischen Seefahrer Afrika umschiffen. Portugal ging in Führung, indem es entlang der afrikanischen Westküste immer weiter vorwärts drang. Von jeder Reise brachten die Seeleute unschätzbare Erfahrungen in der Navigation und im Umgang mit den unbekannten Sternen, Winden und Strömungen südlich des **Äquators** mit nach Hause.

Im Jahr 1488 umsegelte Bartolomeu Diaz als erster das Kap der Guten Hoffnung und eröffnete damit den Seeweg von Europa zum Indischen Ozean. Zehn Jahre später gelangte Vasco da Gama nach Indien.

Spanien reagierte, indem es den Italiener Christoph Kolumbus über den Atlantik nach Westen schickte, um einen direkten Seeweg nach Kathai zu erschließen. Statt dessen entdeckte er die Karibik, Mittel- und Südamerika (1492–1504).

Um 1515 schien der Seeweg rund um Afrika für den unbegrenzten Gewürzhandel mit Indien fest in der Hand Portugals – es sei denn, Spanien entdeckte einen anderen westlichen Seeweg, der irgendwie um die Landmasse Südamerikas herumführte.

Dieser Herausforderung stellte sich Ferdinand Magellan (Fernão de Magalhães) im Jahre 1519: Seine Expedition sollte die erste Reise rund um die Erde werden.

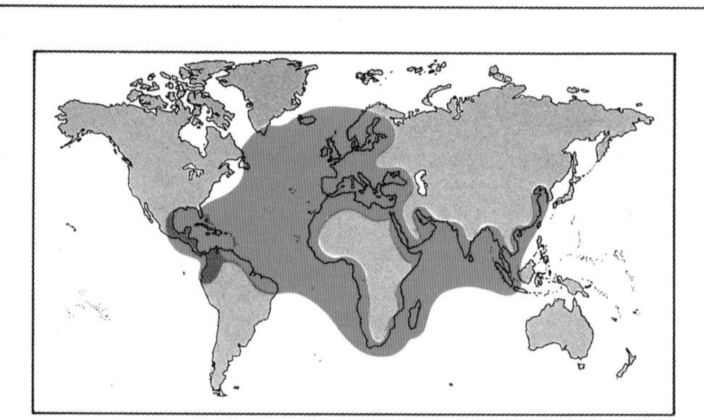

Die *vor* Magellans Zeit bekannte Welt

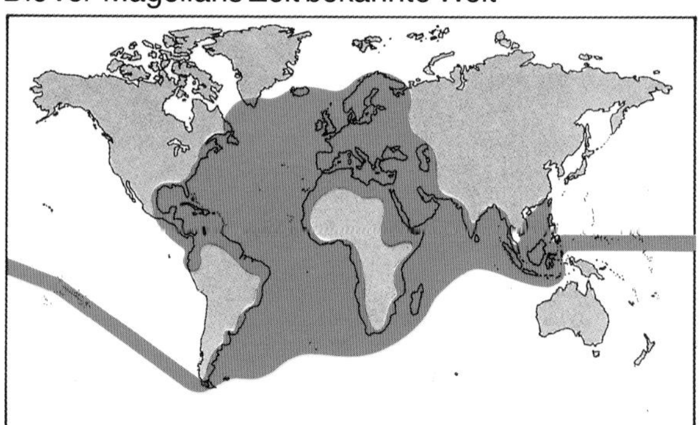

Die *nach* Magellans Zeit bekannte Welt

▷ *Oben* Diese Karte markiert jene Teile der Erde, die den europäischen Seefahrern vor Magellans Reise bekannt waren, als man Südamerika noch nicht umsegelt hatte.

Rechts Magellans Entdeckung: nicht nur die tatsächliche Größe des riesigen pazifischen Ozeans („Südsee"), sondern ein offener Seeweg rund um die Erde.

△ Der kleine, robuste Dreimaster wurde **Nao** genannt: ein von Portugiesen wie Spaniern gleichermaßen für Entdeckungsfahrten verwendeter Schiffstyp. In den Frachträumen gab es ausreichend Platz für die auf den langen Reisen benötigten Vorräte. Auch die Gewürze, für die diese risikoreichen Fahrten unternommen wurden, konnten dort verstaut werden.

Reise ins Abenteuer

Die Männer, die auf große Entdeckungsfahrt gingen, segelten nicht etwa mit neuen Schiffen los, die eigens für diese gefährliche Aufgabe gebaut worden waren. Vielmehr sparten die Prinzen, Händler und Bankiers, die das Geld für diese Expeditionen zur Verfügung stellten, wo sie nur konnten.

Die Schiffe zu Magellans Zeiten waren gewöhnliche Handelsschiffe, die meistens alt waren und deshalb zunächst umfangreiche Reparaturarbeiten nötig machten.

△ Sommer 1519: Nach einer gründlichen Überholung nehmen zwei der Schiffe Magellans am Kai von Sevilla Fracht an Bord.

Obwohl Magellan bereits im März 1518 vom spanischen König den Auftrag erhielt, war seine Flotte erst im August 1519 bereit auszulaufen.

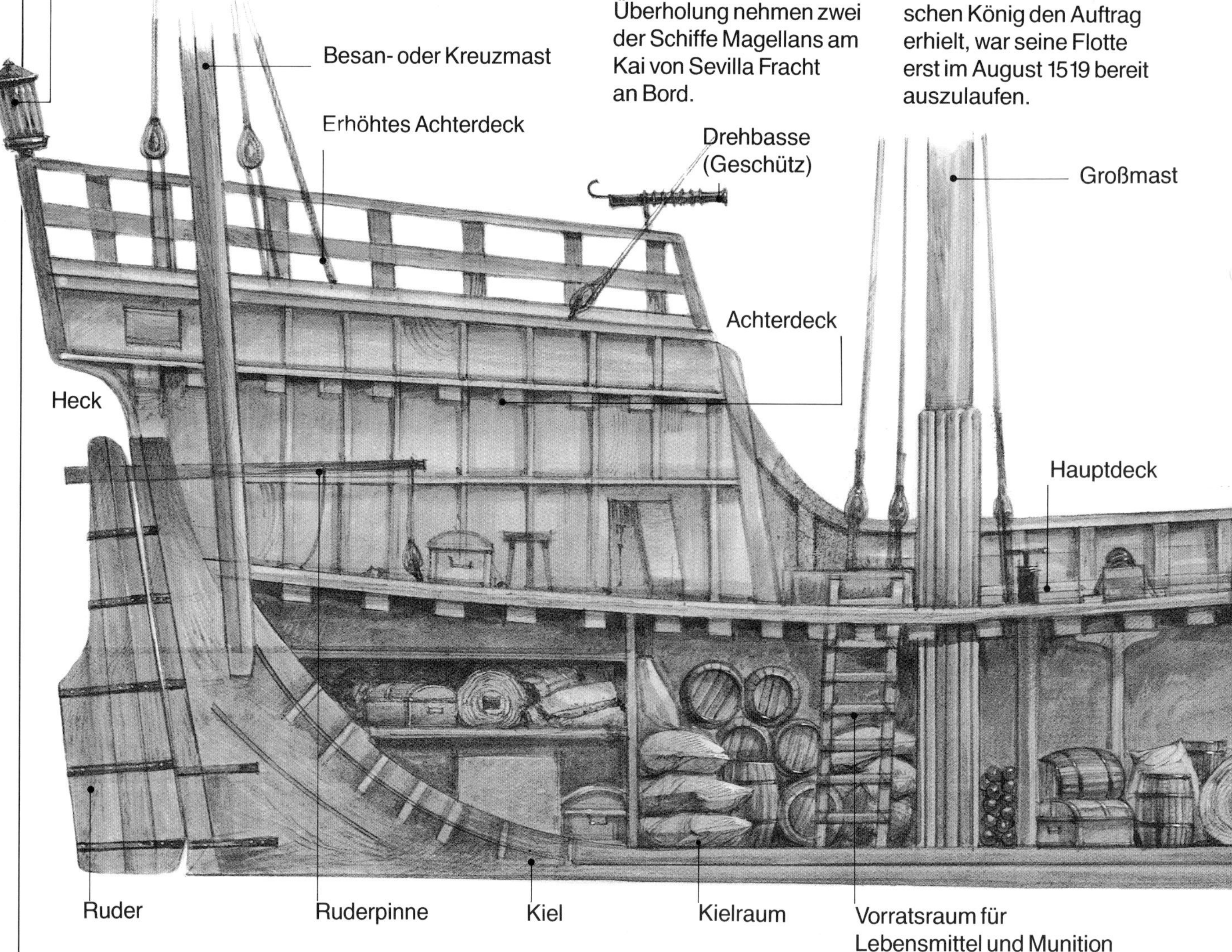

△ Die *Trinidad* von oben: Am Fock- und Großmast sieht man viereckige Rahsegel, am **Besanmast** achtern ein dreieckiges **Lateinsegel**.

Dies galt besonders für die fünf alten Naos, die König Karl I. von Spanien Magellan zur Verfügung stellte. Es mußten so viele Reparaturen ausgeführt und Holzteile erneuert werden, daß Magellan anderthalb Jahre brauchte, um sie für seine Reise nach Indien herzurichten.

Magellans Flaggschiff war vermutlich nicht mehr als 27 Meter lang; das kleinste, die *Santiago,* war nur halb so groß. Die Zahl der Besatzungsmitglieder an Bord schwankte zwischen 40 Offizieren und Matrosen auf dem kleinsten und über 60 auf dem größten Schiff. Die Schiffe hießen *Trinidad* (Magellans Flaggschiff), *San Antonio* (das größte), *Concepcion*, *Victoria* und *Santiago*.

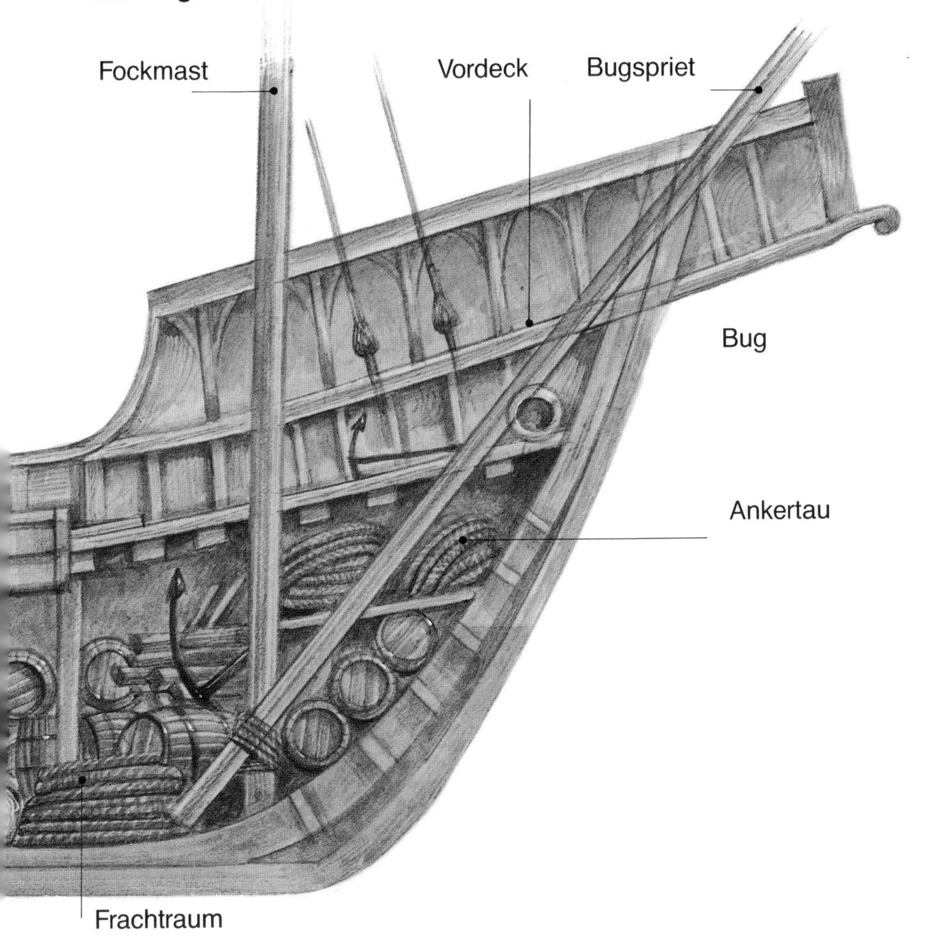

◁ Längsschnitt der *Trinidad.* Selbst in den größten Schiffen waren die Lebensbedingungen für Offiziere wie für Matrosen beengt, spartanisch und zusätzlich auch noch naß, wenn bei rauher See das Deck von Wasser überspült wurde. Der gesamte Schmutz des Schiffes sammelte sich im **Kielraum (Bilge),** der auf weiten Fahrten regelmäßig gereinigt („durchstöbert") werden mußte. Zur Verteidigung gegen Piraten waren die Schiffe mit leichten, auf der Reling montierten Geschützen (Drehbassen) ausgerüstet. Magellans *capitana* oder Flaggschiff, die *Trinidad,* war das einzige Schiff der Flotte, das mit insgesamt vier Kanonen auf Lafetten ausgerüstet war.

Leben an Bord

Jeder Mann an Bord hatte sein besonderes Aufgabengebiet. Um die Navigation kümmerten sich Kapitän und Steuermann. Der Schiffsoffizier war für die sichere Handhabung des Schiffes und der **Bootsmann** für die Besatzung verantwortlich. Zusätzlich zur ständigen Arbeit am **Takelwerk,** wobei die Vollmatrosen in der Höhe die erfahrensten waren, mußten die Besatzungsmitglieder an Bord auch unter Anleitung der Handwerker arbeiten. Die besondere Aufgabe der Schiffsjungen bestand darin, bei Sonnenaufgang wie bei Sonnenuntergang Gebete zu singen.

△ Sogar in den geschützten Quartieren **achtern** waren die Schlafmöglichkeiten knapp, überbelegt, klamm und zunehmend verdreckt.

▽ Die typische Besatzung zu Magellans Zeiten setzte sich aus zähen, erfahrenen Männern zusammen. Jeder hatte eine bestimmte Aufgabe zu erledigen und hoffte einen Anteil am Gewinn zu erhalten.

▽ Die Besatzungen unter Magellans Kommando bestanden aus Spaniern, Portugiesen, Deutschen, Italienern, Franzosen, Flamen, Malaien, Griechen und Afrikanern.

Kapitän

Steuermann

Schiffsoffizier

Bootsmann

Zimmermann

Segelmacher

Proviantmeister

Geschützführer

Kalfaterer

Bootsmannsmaat

Küfer

Vollmatrosen

Leichtmatrosen und Schiffsjunge

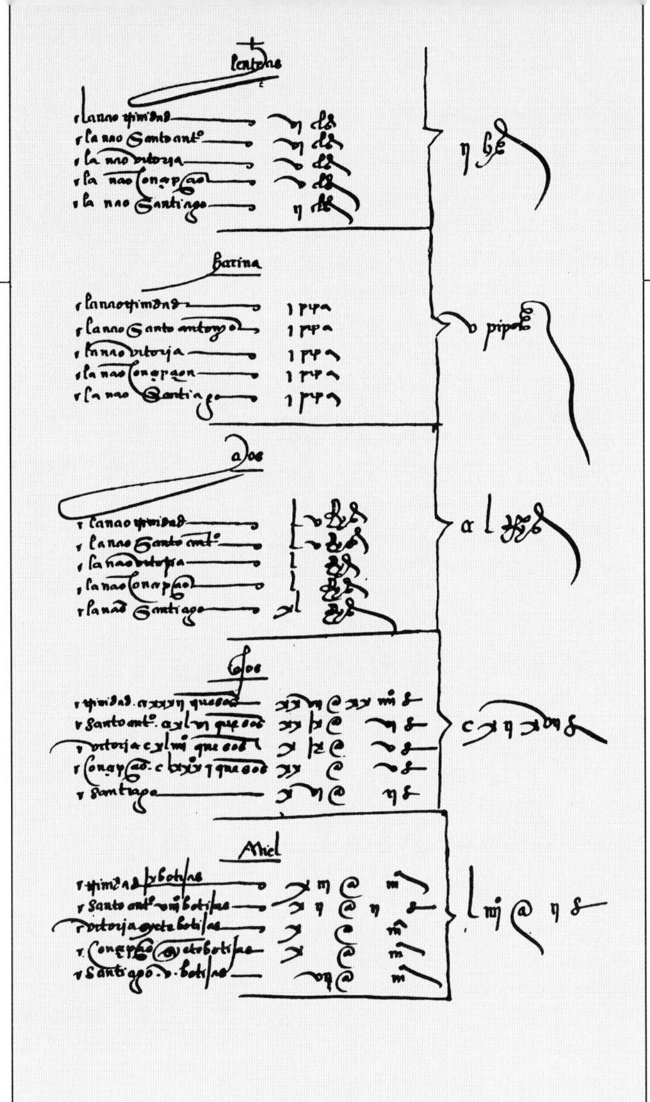

◁ Peinlich genaue Listen verzeichnen die Lebensmittelvorräte auf Magellans Schiffen. Dazu gehörten getrocknete Bohnen, Mehl, Knoblauch, Käse, Honig, Mandeln, Sardinen, Sardellen, Rosinen und Dörrpflaumen, die wegen ihrer guten Haltbarkeit in Fässern ausgewählt worden waren.

△ Wegen der Enge im Schiff und der ständigen Feuergefahr an Bord wurde das Essen an Deck zubereitet. Der Eisenherd des Kochs stand an der Reling nach **Lee**, so daß Funken über Bord geweht wurden. Ein Wassereimer stand daneben, um Funken an Deck sofort löschen zu können.

Für lange Ozeanfahrten wählten die Schiffsausrüster Lebensmittel und Getränke, die man so lange wie möglich in Fässern aufbewahren konnte. Trocknen und **Pökeln** waren damals die einzigen Methoden zum Haltbarmachen von Fleisch, Fisch, Obst und Gemüse. Obwohl Wein sich in Fässern besser lagern ließ, war sowohl zum Kochen als auch zum Trinken Wasser unverzichtbar – doch gerade Wasser frischzuhalten war besonders schwierig.

Die **Küfer,** verantwortlich für die Lebensmittel und das Wasser in den Fässern, trugen innerhalb der Flotte eine sehr hohe Verantwortung. Sie mußten diese Vorräte ständig überprüfen, um zu kontrollieren, wie sie die Reise überstanden. Schien es zweifelhaft, ob der Inhalt eines Fasses noch in vollem Maße genießbar war, so wurde angeordnet, ihn umgehend zu verbrauchen.

▷ Die Mahlzeiten wurden an Deck serviert und eingenommen. Als Tischdecke diente ein altes Segeltuch. Im Verlauf der Reise wurde der steinharte Schiffszwieback von Würmern befallen, die man vor dem Verzehr einzeln herausklauben mußte.

Über die großen Ozeane

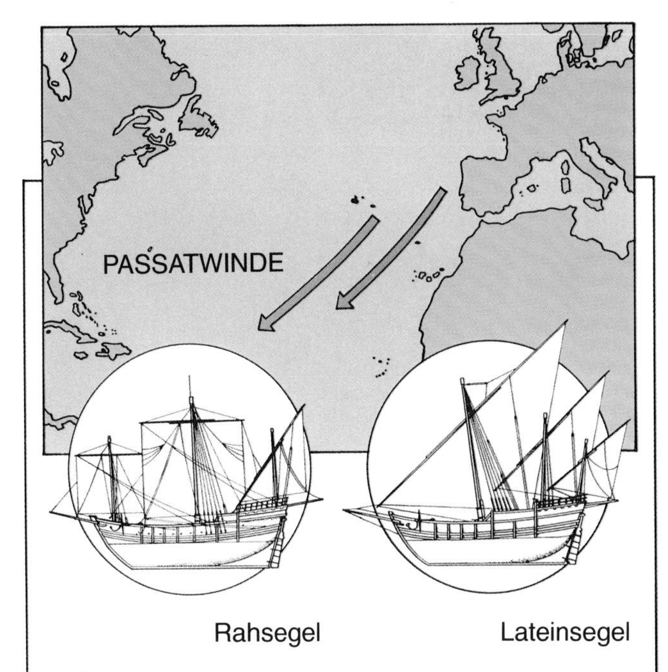

Auf- und Abtakeln der Rahsegel, die für Fahrten bei langen Fallwinden geeignet waren, sowie der leicht zu handhabenden Vorder- und Achterlateinsegel, die sich für das **Lavieren** und Manövrieren vor einer unbekannten Küste eigneten.

Die abenteuerlichen Fahrten der Ozeanerkundung waren weitaus gefährlicher als die bemannten Raumflüge zum Mond. In den sechziger Jahren unseres Jahrhunderts konnten die Astronauten über Funk zu jeder Zeit ihren Heimatstützpunkt erreichen oder im Fall höchster Not per Fernsteuerung heil nach Hause zurückgeholt werden. Die Männer aber, die mit Diaz, Kolumbus, da Gama und Magellan segelten, waren monatelang, ja sogar jahrelang ohne jeden Kontakt mit ihrer Heimat. Zudem lauerte der Tod auf jeder Seemeile ihrer langen Route. Einmal auf hoher See, war die Besatzung eines Erkundungsschiffes ganz auf sich selbst angewiesen.

Sie mußte das Schiff reparieren und wieder auftakeln können, wenn es in einem Sturm beschädigt worden oder gar der Mast gebrochen war. Falls nötig – wie bei der vierten Fahrt von Kolumbus im Jahre 1504 –, mußte sie darauf gefaßt sein, ein Schiff aufzugeben, alle nützlichen Geräte und Dinge von Bord zu holen und dann aus vor Ort vorhandenem Material und den beim Schiffbruch geretteten Holzteilen ein neues Schiff zu bauen. Eine andere Möglichkeit, nach Hause zurückzugelangen, gab es nicht: Keine freundlichen Schiffe nahmen sie auf, und keine Rettungsmannschaften machten sich auf die Suche nach ihnen. Strandeten sie an einer unbekannten Küste, so wußten die Überlebenden, daß sie damit rechnen mußten, nie wieder ein Schiff aus der Heimat zu Gesicht zu bekommen.

Sie riskierten, bei einem Sturm oder Schiffbruch umzukommen oder vor Hunger und Durst zu sterben. Je länger die Reise dauerte, um so größer war die Gefahr, daß eine Krankheit sie dahinraffte – nicht nur der **Skorbut,** der durch Mangel an frischem Obst und Gemüse entstand, sondern auch der Typhuserreger, der sich durch den Genuß von verseuchtem Trinkwasser ausbreitete.

Manche starben nach dem Genuß verdorbener Vorräte an Lebensmittelvergiftung oder am „Rattenbißfieber", mit dem sie die Tiere bei ihrer verzweifelten Nahrungssuche in den stinkenden Frachträumen infizierten, oder am Fleckfieber, das die Läuse übertrugen, von denen es auf schmutzigen Körpern und Kleidern wimmelte. Erste Hilfe war mehr schlecht als recht. Vielleicht machte es nicht einmal etwas aus, daß keine Ärzte auf den Schiffen mitfuhren, denn im frühen 16. Jahrhundert tötete die Medizin in Europa ebensooft, wie sie zu heilen vermochte.

Um solcher Not und solchen Gefahren zu begegnen und sie zu überleben, benötigten die Männer mehr als nur eine körperlich stabile Verfassung. Wie die Seeleute zu allen Zeiten lernten sie nicht nur, sich aufeinander zu verlassen, sondern auch auf die Fähigkeit ihrer Kapitäne, in unbekannte Gewässer vorzustoßen und sie heil wieder nach Hause zu bringen.

◁ Während die Schiffe in Magellans Flotte durch die wilde See des Atlantiks stampfen, treten sie den unbekannten Teil der Fahrt an: die lange Route nach Südwesten zur südamerikanischen Küste. Als Magellan im Sommer 1519 von Spanien aus in See stach, konnten die Männer auf solch einer langen Fahrt sicher sein, daß sie es wenigstens zwei Monate lang mit vertrauten Gewässern, Winden und Strömungen zu tun hatten.

Als Magellans Flotte Spanien verließ, hatten die europäischen Seeleute bereits seit fast 400 Jahren den Kompaß, das wichtigste Gerät bei der Navigation, benutzt. Doch dieser konnte nur die Fahrtrichtung des Schiffes anzeigen. Die Aufgabe des Navigators war es, Tag für Tag die Position des Schiffes zu bestimmen.

Um eine solche Ortsbestimmung durchzuführen, mußte der Steuermann wissen, wie weit nördlich oder südlich des Äquators – also auf welchem **Breitengrad** – sich das Schiff befand und auf welchem **Längengrad**, das heißt wie weit westlich oder östlich es sich von der zuletzt bekannten Position entfernt hatte.

Zu Beginn des 16. Jahrhunderts verfügte ein Steuermann über die erforderlichen Instrumente, um den Breitengrad annähernd genau zu berechnen. Mit **Quadrant, Kreuzstab** oder **Astrolabium** maß er die Höhe (Stand) der Sonne oder der markantesten Sterne über dem Horizont.

Die Kunst der Navigation

Dann sah er in einer Tabelle der bekannten Höhen nach, um den korrekten Breitengrad für das entsprechende Datum abzulesen.

Schwieriger war die Bestimmung des Längengrads, der anhand der abgelaufenen Zeit seit Ablegen des Schiffes im Heimathafen berechnet wurde. In Magellans Tagen wurde er mit Hilfe des Kalenders und des ständigen Umdrehens von Sanduhren gemessen. Mehr als 250 Jahre sollte es dauern, bevor genaue Zeitmesser, auch Chronometer genannt, es den Steuermännern erlaubten, den Längengrad genau zu bestimmen.

▽ Die wichtigsten Geräte eines Steuermanns im 16. Jahrhundert: Kompaß *(rechts)* und Astrolabium. Die Metalldose enthält einen Magneteisenstein. Mit diesem natürlich vorkommenden magnetischen Eisenerz magnetisierte er bei Bedarf die Kompaßnadel aus ungehärtetem Eisen.

◁ Die wichtige Mittagmessung, wenn die Sonne am Himmel ihren höchsten Stand erreicht. Dabei richtet der Steuermann das Kreuz in der Mitte des Astrolabiums nach dem Horizont aus und peilt durch die Löcher im drehbaren Zeiger die Sonne an. Ein Assistent sieht indessen in einer Tabelle die entsprechenden Höhenwerte nach.

Unter fremden Sternen

Je weiter die Schiffe aus den ihnen vertrauten Gewässern Europas und Nordafrikas nach Süden vorstießen, um so eindrucksvoller wurde die Beobachtung des sich verändernden Nachthimmels.

Der Polarstern, der den Männern als Mittelpunkt am Himmel der nördlichen Halbkugel vertraut war, näherte sich jede Nacht etwas mehr dem nördlichen Horizont. Schließlich verschwand er völlig aus dem Sichtfeld. Es dauerte nicht lange, und ihm folgte auch die altbekannte Sichel des Großen Bären.

Und an ihrer Stelle erhob sich majestätisch eine schöne, neue Konstellation über dem südlichen Horizont: das Kreuz des Südens.

Die Portugiesen waren die ersten Europäer gewesen, die dieses Phänomen erlebten, als sie zwischen 1450 und 1470 die Küste entlang um den „Bauch" Westafrikas zum Äquator segelten. Zu Magellans Zeit, etwa 70 Jahre später, war das Sternbild auf allen Seereisen in Richtung Süden zu einer vertrauten natürlichen Erscheinung geworden. Und die Steuermänner zeichneten bereits die Bewegung der südlichen

▽ Nacht im Südatlantik. Die Männer von Magellans Flotte, die dem Hecklicht des Flaggschiffs folgen, murmeln schnell ein Gebet, als das Kreuz des Südens über dem Horizont auftaucht.

Sterne auf, damit sich ihre Kollegen später besser zurechtfanden.

Obwohl die vielen erfahrenen Matrosen diejenigen beruhigten, die zum erstenmal an einer solchen Expedition teilnahmen, so konnte doch nichts das Gefühl des Wunderbaren zerstreuen, das jene ergriff, die den fremden Himmel noch nie erblickt hatten. Darunter war Antonio Pigafetta, der das Kreuz des Südens beschrieb als „ein Kreuz mit fünf außerordentlich hellen Sternen, die exakt nach Westen und zudem genau zueinander ausgerichtet waren". Er notierte auch, daß „die Südhalbkugel nicht so sternenübersät ist wie die Nordhalbkugel. Man sieht viele kleine Sternengruppen, die aussehen wie zwei Nebelwolken." Bis zum heutigen Tage kennen die Astronomen sie unter der Bezeichnung Magellansche Wolken.

Sehr viel beruhigender für die Matrosen war vermutlich, daß die Kompaßnadel noch immer beständig nach Norden zeigte. Und das nächtliche Auftauchen des Kreuz des Südens muß für diese katholischen Matrosen ein Zeichen göttlichen Schutzes gewesen sein.

Das Tor zur Südsee

Von seinen früheren Fahrten rund um Afrika wußte Magellan, daß die Jahreszeiten südlich des Äquators denen im Norden entgegengesetzt sind: Ist's Winter im Norden, so ist's Sommer im Süden.

Nachdem Magellan im Dezember 1519 die Küste Brasiliens erreicht hatte, wollte er an der südamerikanischen Küste wenigstens bis zum 45. Breitengrad weitersegeln, die halbe Wegstrecke zwischen Äquator und Südpol. Dort wollte er an einem sicheren Platz vor Anker gehen, um die Schiffe zu überholen, Lebensmittel und Frischwasser an Bord zu nehmen und der Mannschaft während des Winters auf der südlichen Halbkugel eine Ruhepause zu gönnen, bevor die Reise fortgesetzt wurde.

Am 31. März 1520 fand Magellan in San Julian, vor der Küste des heutigen Argentinien, den Ankerplatz, den er suchte. Inzwischen hatte die Reise bereits sechsmal länger gedauert als die erste Atlantiküberquerung von Kolumbus, und noch immer gab es kein Anzeichen für eine Westpassage, vorbei an diesem trostlosen, anscheinend unendlichen Kontinent. Obwohl Magellans Mannschaft bereit war weiterzusegeln, wollten seine spanischen Offiziere es nicht.

Innerhalb von 48 Stunden nach Ankunft in San Julian meuterten die Offiziere der *San Antonio,* der *Victoria* und der *Concepcion.* Hätte Magellans Mannschaft, die sich den meuternden Offizieren nicht anschließen wollte, ihm nicht die Treue gehalten, so wäre er nicht in der Lage gewesen, seine drei Schiffe zurückzugewinnen und die Meuterei niederzuschlagen.

Um die Moral zu heben, schickte Magellan einen Monat später die *Santiago* zur Erkundung der Küste in südliche Richtung aus. Doch sie erlitt am 22. Mai 1520 etwa 100 Kilometer südlich von San Julian Schiffbruch.

▷ Magellans Schiffe lassen das zerschmetterte Wrack der *Santiago* achtern und **reffen** die Segel, als sie in den sturmgepeitschten Eingang der Meeresstraße segeln. Stets mußten sie gegen das entsetzlichste Wetter ankämpfen, dazu noch in einer so tiefen See, daß es ihnen unmöglich war, vor Anker zu gehen. Nur durch das Vertäuen an der Küste konnten die Schiffe noch gesichert werden. Viel Zeit ging dadurch verloren, daß die Verbindung zur desertierten *San Antonio* abbrach. Magellan schickte die *Victoria* bis zum Eingang der Meeresstraße zurück, um das vermißte Schiff zu suchen. Erst dann gab er den Befehl, wieder nach Westen zu segeln.

Dabei ertrank ein Matrose, und die 37 Überlebenden kämpften sich auf dem Landweg in einem strapaziösen Fußmarsch nach San Julian durch. Nun entschied Magellan, keine weiteren Risiken mehr einzugehen. Erst am 18. Oktober 1520 machte sich die Flotte wieder auf den Weg nach Süden.

Drei Tage später fand Magellan die östliche Zufahrt zur Meeresstraße, auf deren Existenz er immer geschworen hatte: ein schmaler Einlaß, von heulenden Stürmen gepeitscht und von steilen, schneebedeckten Bergen gesäumt. Die Schiffe brauchten mehr als einen Monat, um die Straße zu überwinden. Währenddessen desertierte die *San Antonio* und segelte nach Spanien zurück. Doch am 28. November ließen die *Trinidad,* die *Concepcion* und die *Victoria* am westlichen Ausgang der Straße das Labyrinth aus Inseln hinter sich und segelten in die offene „Südsee" hinein.

Leiden im Pazifik

Die Lage an Bord der *Trinidad* und ihrer beiden Schwesterschiffe während der furchtbaren ersten Überquerung des Pazifiks war erbärmlich, da die Mannschaft an Skorbut, Hunger und Durst litt. „Drei Monate und zwanzig Tage lang waren wir ohne frische Lebensmittel", schrieb ein Überlebender. „Wir aßen Schiffszwieback, der kein Zwieback mehr war, sondern vielmehr Zwiebackmehl, das von Würmern nur so wimmelte, die das Gute längst weggeknabbert hatten. Und dann stanken sie auch noch stark nach Rattenurin. Wir tranken gelbes Wasser, das seit vielen Tagen schlecht war."

Die Männer waren so geschwächt, daß sie einen Sturm nicht überlebt hätten, und aus Dankbarkeit taufte Magellan diesen neuen Ozean den Stillen Ozean oder „Pazifik". „Hätte Gott uns nicht so gutes Wetter geschenkt, wir alle wären in diesem endlos großen Meer verhungert. In Wahrheit bin ich sogar davon überzeugt, daß man eine solche Reise nie mehr wiederholen wird." Nachdem sie wieder den Äquator überquert hatten, weiter nach Westen gesegelt waren und verzweifelt versucht hatten, nach Japan zu gelangen, kam am 6. März 1521 schließlich wieder grünes und fruchtbares Land in Sicht – die Marianen.

▷ Magellan segelte auf die Molukken zu, von denen er wußte, daß sie sich auf dem 4. südlichen Breitengrad befanden. Doch die Kartographen hatten den wahren Erdumfang weit unterschätzt. Am 4. südlichen Breitengrad angekommen, fand Magellan lediglich offenes Meer vor: Die Molukken liegen etwa 10 000 km westlich. Er beschloß, Japan anzusteuern, indem er den 12. nördlichen Breitengrad entlang nach Westen segelte. So gelangte er zu den Marianen.

Landung auf den Philippinen

Obwohl Magellans Männer krank, halb verhungert und hoffnungslos geschwächt waren, fanden sie auf den Marianen keine Erholung. Die Inselbewohner erwiesen sich als unermüdliche Diebe, die in ihren Auslegerbooten zu den Schiffen ausschwärmten und stahlen, was nicht niet- und nagelfest war. Als sie das Langboot gestohlen hatten, das achtern an der *Trinidad* befestigt war, mußte Magellan seine erschöpften Männer zu Taten antreiben. Es war lebenswichtig, das Langboot zurückzubekommen, das man dringend für die Erkundung der flachen Küsten brauchte, wo man sich mit dem Schiff wegen seines **Tiefgangs** nicht weiter vorwagen konnte.

Magellan suchte sich von allen Schiffen die vierzig kräftigsten Männer aus und übernahm deren Führung an Land, um die Insulaner zu bestrafen und das Langboot wieder an sich zu bringen. Bevor sie die Hütten anzündeten, schnappten sich die Europäer so viele Nahrungsmittel, wie sie tragen konnten: Kokosnüsse, Obst, Süßkartoffeln und Fische. Diese geplünderten Lebensmittel gaben Magellans Männern gerade genug Kraft, um die Anker zu lichten, weiter westwärts zu segeln und nach einem freundlicheren Ruheplatz zu suchen.

Eine Woche nach Verlassen der Marianen landeten sie auf den östlichen Philippinen, die sie am 16. März sichteten. Diesmal ging Magellan auf Nummer Sicher. Zu diesem Zweck suchte er Homonhon, eine unbewohnte Insel, aus, auf der seine Leute sich erholen und ihre alte Kraft wiedergewinnen konnten. Die

▽ Erst hatten sie auf hoher See den sicheren Tod vor Augen, nun glauben Magellans hungrige Matrosen sich im Schlaraffenland: Auf der Insel Homonhon greifen sie sich alles Eßbare.

Inselbewohner der Philippinen nahmen bald Verbindung mit ihnen auf, hießen die Schiffe freundlich willkommen und zeigten sich daran interessiert, Lebensmittel gegen solchen Tand wie rote Mützen, Spiegel, Kämme und Glocken zu tauschen.

Nach einer achttägigen Erholungspause segelte Magellan weiter nach Westen. Am 28. März erreichte die Flotte Limasawa, wo der eingeborene Häuptling Rajah Calambu Magellans Geschenke gerne entgegennahm. Die Verständigung war problemlos, da Magellans malaiischer Sklave das Tagalog der Insulaner verstand. Rajah Calambu bot an, Magellans Schiffe zur Insel Cebu zu führen, wo sie neue Lebensmittelvorräte für ihre Fahrt zu den Gewürzinseln an Bord nehmen konnten.

Die Schiffe erreichten Cebu am 6. April, wo der Herrscher Rajah Humabon von Magellans sicherem, aber taktvollem Auftreten, seiner gerechten Handlungsweise und der offensichtlichen Macht der Waffen beeindruckt war, die Magellans Männer den Insulanern auf Cebu vorführten. Humabon wollte sogar mit seinen Leuten zum Christentum übertreten.

Doch dieser vielversprechende Auftakt endete am 27. April 1521 mit einer Katastrophe. Magellan ließ sich unvorsichtigerweise dazu überreden, den trotzigen Herrscher der Nachbarinsel Mactan anzugreifen. Doch seine winzige Streitmacht von nicht einmal 50 Leuten wurde von einer Überzahl an Gegnern in die Flucht geschlagen, und Magellan kam während des Rückzugs zu den Schiffen ums Leben.

◁ Dank seines diplomatischen Geschicks erwarb sich Magellan nicht nur die Achtung der Inselhäuptlinge, sondern er überzeugte sie auch, zum Christentum überzutreten. Hier überreicht er Rajah Humabon auf Cebu eine Statue des Christuskindes und andere Geschenke.

△ Ein Armbrustschütze führt neugierigen Insulanern seine Waffe vor. Magellan wollte sich nicht auf die Vorführung von Feuerwaffen verlassen, um die Filipinos zu beeindrucken. Sein Versuch, sie in der Schlacht auf der Insel Mactan zur Schau zu stellen, erwies sich dann auch als tödlicher Fehler.

Auf den Gewürzinseln

▽ Während die Küfer die Fässer mit den wertvollen Gewürznelken versiegeln, wird die *Victoria* am Strand **kielgeholt**, und ihre Lecks werden abgedichtet. Seetang und Muscheln, die sich unter Wasser am Rumpf festsetzen und die Fahrt eines Segelschiffes zu stark abbremsen, werden weggebrannt. Diese Überholungsarbeiten mußten mindestens einmal im Jahr ausgeführt werden.

Magellans Tod erschütterte den Mythos von der Unbesiegbarkeit der Spanier, und Rajah Humabon von Cebu wandte sich gegen sie. Nunmehr ohne Magellans Führung und unter getrenntem Kommando machten sich die drei Schiffe auf eine ziellose Fahrt durch die Inselwelt der südlichen Philippinen – obwohl die Molukken sich weniger als drei Segelwochen von Cebu entfernt befanden.

Dieser Teil der Reise nahm sechs Monate in Anspruch, in denen sich die unzureichende Mannschaftsstärke als Problem erwies. Denn die Verluste während der Reise hatten die Gesamtbesatzung der Flotte um die Hälfte vermindert (auf etwa 130 Männer) – nicht genug, um drei Schiffe ausreichend mit Matrosen zu besetzen. Auf Rat des Flottenführers Joao Carvalho wurde die gesamte Nutzfracht und die Ausrüstung der *Concepcion* auf die anderen Schiffe umgeladen. Dieses Schiff wurde aufgegeben und ihre Besatzung auf die *Trinidad* und die *Victoria* verteilt. So sichteten sie schließlich unter Carvalhos zaudernder Führung die Molukken (Gewürzinseln) am 6. November 1521 – mehr als zwei Jahre nach ihrer Abreise aus Spanien.

Der Sultan von Tidore auf den Molukken war erfreut, die Spanier willkommen zu heißen,

da die Portugiesen seinen Rivalen, den Sultan von Ternate, unterstützt hatten. Aus diesem Grund wurde er mit den Spaniern schnell handelseinig, und sowohl die *Trinidad* als auch die *Victoria* nahmen reichlich Gewürznelken, das am meisten geschätzte Gewürz auf den europäischen Märkten, an Bord. Nun war keine Zeit mehr zu verlieren: Im Indischen Ozean wehten die Winde aus Osten, die für eine schnelle Passage nach Südwesten zum Kap der Guten Hoffnung unverzichtbar waren. Doch kurz vor dem Auslaufen zeigte sich an der *Trinidad* ein großes Leck. Es wurde beschlossen, daß die *Victoria* sofort zum Kap lossegeln sollte. Die *Trinidad* sollte nach der Reparatur wieder den Pazifik überqueren und über die Magellanstraße nach Spanien zurückkehren. Unter dem Kommando Juan Sebastian Elcanos lichtete die *Victoria* am 21. Dezember 1521 Anker. An Bord waren 47 Mann und 13 Molukker, die mit nach Spanien segeln wollten.

△ Beim Kielholen wurden gleichzeitig auch die verrotteten Planken und das tragende Holzwerk erneuert. Ein Zimmermann arbeitet gerade aus einem Stamm einen Balken heraus. Mußte ein Schiff aufgegeben werden, so wurden die intakten Holzteile wiederverwendet.

Heimwärts

Die einsame Rückreise der *Victoria* nach Spanien war eine ebenso große Zerreißprobe wie die erste Pazifiküberquerung. Route und Fahrt waren diesmal zwar im voraus bekannt, doch die *Victoria* segelte als spanisches Schiff in portugiesischen Gewässern. Da man herumstreifenden portugiesischen Kriegsschiffen aus dem Weg ging, mußte man Umwege von tausenden Kilometern auf der Heimfahrt in Kauf nehmen.

Elcano verließ am 25. Januar 1522 Timor, eine der Westindischen Inseln. Dann segelte er mehr als 6500 Kilometer südwestlich durch den Indischen Ozean und befand sich bereits südlich vom Breitengrad des Kaps der Guten Hoffnung. Als die *Victoria* am 22. März nach Westen drehte, um auf das Kap zuzusegeln, waren die auf den Molukken an Bord genommenen frischen Lebensmittel während der langen Fahrt längst aufgezehrt worden. Die Mannschaft, die nur von Reis lebte, mußte zusätzlich den eisigen Winden und der aufgewühlten See am 40. Breitengrad trotzen.

Am 19. Mai schließlich umsegelte die *Victoria* das Kap in den Südatlantik, wobei sie dadurch, daß Fockmast und Rah in einem Sturm beschädigt worden waren, noch weiter an Fahrt verlor. Auf dem Weg über den Atlantik nach Norden starben 21 Männer an Hunger und Skorbut. Wieder einmal mußten dic Überlebenden in einem verzweifelten Wettrennen gegen die Zeit antreten.

◁ Zerreißprobe in der sturmgepeitschten See zwischen dem 40. und 50. Breitengrad. Das dünne Segeltuch des Vorsegels zerreißt, als die erschöpfte Mannschaft der *Victoria* versucht, es zu richten. In der aufgewühlten See ist das Schiff ständig in Gefahr, unter einer sich am Heck brechenden Welle zu versinken. Gegen den Hauptmast gebunden, um einen sicheren Halt zu haben, versucht Elcano, die Höhe des Mondes zu messen, um die Position des Schiffes zu bestimmen. Ein Navigationsfehler könnte zu einer Landung an der afrikanischen Küste und somit zu einer Verhaftung durch die Portugiesen führen.

Die Überlebenden kehren heim

Mitte Juli 1522 hatte Elcano nur noch weniger als 30 Männer, die fähig waren, ein Tau anzupacken. Ihm blieb keine andere Wahl, als die unter portugiesischer Herrschaft stehenden Kapverdischen Inseln vor der Westspitze Afrikas anzusteuern. Ohne Lebensmittel, das wußte er, wäre die völlig entkräftete Besatzung der *Victoria* dem Untergang geweiht gewesen.

Auf den Kapverden versuchte Elcano den Portugiesen weiszumachen, daß die *Victoria* auf dem Rückweg von Südamerika in einem Sturm von Kurs abgekommen sei. Diese Täuschung hätte beinahe funktioniert. Aber die Mannschaft der *Victoria* hatte gerade zwei Bootsladungen Reis auf den Weg gebracht, als einer der Männer mit einem Paket Gewürznelken erwischt wurde. Nun war klar, daß die *Victoria* nur aus Portugiesisch-Indien kommen konnte. Alle 13 Mann, die an Land gegangen waren, wurden ins Gefängnis geworfen, während Elcano eilig wieder in See stach.

Am 6. September 1522, fast auf den Tag drei Jahre nach ihrem Ablegen, fuhr die *Victoria* in die Bucht von Sanlucar an der Mündung des Guadalquivir ein, segelte flußaufwärts und ging zwei Tage später in Sevilla vor Anker. Nur 18 Männer, die meisten von ihnen krank, hatten die Strapazen der Reise überstanden. Einer von ihnen war der Italiener Antonio Pigafetta, der stolz notierte, daß „wir 14.460 Leagues (80.500 Kilometer) und einmal um die Erde gesegelt sind“.

Die *Trinidad* hatte das Pech, von den Portugiesen vor den Molukken aufgebracht zu werden. Von 54 Männern überlebten nur vier die lange Reise und die Gefangennahme und trafen schließlich im Jahr 1525 in Spanien ein.

▽ Das geschäftige Treiben am Flußufer und am Hafen von Sevilla, etwa 50 Jahre nach Magellans Reise gemalt. In der Mitte erhebt sich die Kathedrale. Dorthin führte Elcano am 8. September 1522 die Überlebenden der *Victoria*, um Gott für ihre Rettung zu danken. Am hinteren Ufer werden Schiffe be- und entladen; am vorderen Ufer werden Schiffe kielgeholt und instandgesetzt, bevor sie auf die nächste Ozeanreise gehen.

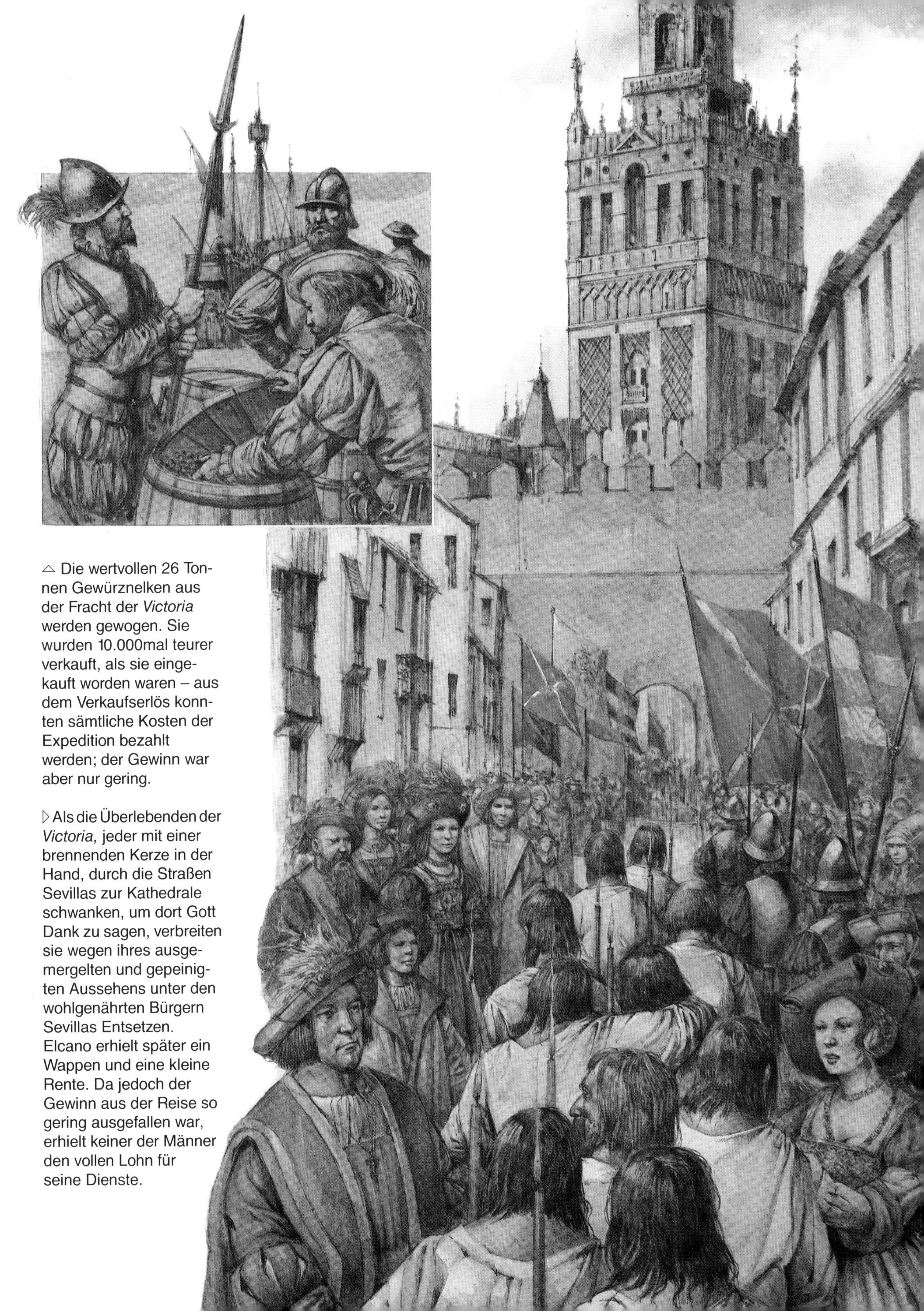

△ Die wertvollen 26 Tonnen Gewürznelken aus der Fracht der *Victoria* werden gewogen. Sie wurden 10.000mal teurer verkauft, als sie eingekauft worden waren – aus dem Verkaufserlös konnten sämtliche Kosten der Expedition bezahlt werden; der Gewinn war aber nur gering.

▷ Als die Überlebenden der *Victoria,* jeder mit einer brennenden Kerze in der Hand, durch die Straßen Sevillas zur Kathedrale schwanken, um dort Gott Dank zu sagen, verbreiten sie wegen ihres ausgemergelten und gepeinigten Aussehens unter den wohlgenährten Bürgern Sevillas Entsetzen. Elcano erhielt später ein Wappen und eine kleine Rente. Da jedoch der Gewinn aus der Reise so gering ausgefallen war, erhielt keiner der Männer den vollen Lohn für seine Dienste.

Magellans Vermächtnis

So endete die unglaublichste Seereise im Zeitalter der Entdeckungen, von der nur 22 der 250 Männer heimkehrten. Magellan und Elcano hatten zum ersten Mal die Erde umsegelt – eine Großtat, die der spanische Geschichtsschreiber Gonzalo Fernandez de Oviedo bejubelte: „Die Route, der die *Victoria* folgte, ist die wunderbarste Sache und die größte Neuheit, die man, seit Gott den ersten Menschen geschaffen und die Welt geordnet hat, bis zum heutigen Tage je gesehen hat." Eine Reise von einer solchen Tragweite unternahmen die Menschen erst wieder 447 Jahre später mit der Landung von Apollo 11 auf dem Mond.

So wunderbar diese erste Erdumseglung auch war, so brachte sie den Spaniern dennoch weder sofortigen Reichtum noch Gewinn.

▽ Porträt Ferdinand Magellans. Die lateinische Inschrift beschreibt ihn als „den weithin berühmten Eroberer der antarktischen Seestraße", die nach wie vor als Magellanstraße bekannt ist.

▷ Sechzig Jahre nach der Rückkehr der *Victoria* nach Sevilla nimmt eine der reichen spanischen „Manilagaleonen" Fracht für die Überquerung des Pazifik von den Philippinen nach Panama an Bord.

Die Entdeckung des riesengroßen Pazifischen Ozeans zerschlug die Hoffnungen auf die Eröffnung einer Westpassage nach Ostindien, auf die man vor Magellans Reise gesetzt hatte. Die Schiffe jener Zeit waren zu klein und zu langsam und daher kaum geeignet, solch große Entfernungen auf regelmäßigen Handelsreisen zu überwinden. Spanien nahm erst in den Jahren nach 1570 die Erkundung des Pazifiks wieder auf, doch war nun Panama der Ausgangspunkt für die Schiffe – und nicht Spanien.

Diese späteren Reisen wären jedoch ohne das Wissen, das Elcano mit nach Hause gebracht hatte, nicht möglich gewesen. Die Philippinen, Magellans letzte große Entdeckung vor seinem Tod, wurden Spa-

niens bedeutendste Kolonie im Pazifik und blieben es fast 350 Jahre lang.

Nun, da sämtliche kostbaren Handelsgüter des Fernen Ostens zu den spanischen Philippinen gelangten, wurde Magellans Traum durch die spanischen Galeonen schließlich doch noch verwirklicht. Diese großen, schnellen und gut bewaffneten Schiffe beförderten nun die Waren von den Philippinen über den Pazifik nach Panama, wo man sie über Land weitertransportierte, bevor sie über den Atlantik nach Spanien verfrachtet wurden. Obwohl Magellan und die meisten seiner Matrosen dies nicht mehr erlebt haben, so haben sie sich doch damit ihren wahren Gedenkstein gesetzt.

△ Der wahre Grund, weswegen die großen Entdeckungsreisen unternommen wurden, war das Streben der reichen Europäer nach Luxusgütern und Gewinn. Kaum 100 Jahre nach Magellans Tod folgten die Ostindischen Handelsgesellschaften aus England, den Niederlanden und Frankreich der Fährte der portugiesischen und spanischen Ozeanpioniere. Das „Zeitalter der Weltreiche“ nahm seinen Anfang.

Worterklärungen

Achtern: Am Heck eines Schiffes.

Äquator: Gedachte Linie zwischen Nord- und Südpol; teilt die Erde in die Nord- und die Südhalbkugel.

Astrolabium: Astronomisches Beobachtungsgerät, mit dem der Steuermann den Stand von Sonne und Sternen maß, um dann mit Hilfe von Tabellen die Schiffsposition zu bestimmen.

Besanmast (auch Kreuzmast): Der dritte oder hinterste Mast eines Schiffes.

Bootsmann: Der für Segel, Takelage, Anker, Taue und die alltägliche Arbeit an Bord verantwortliche Matrose eines Schiffes.

Breitengrad: Die in Grad gezählte nördliche und südliche Entfernung vom Äquator.

Kalfatern: Abdichten der Ritzen zwischen den Planken eines Holzschiffes mit wasserdichtem Material (Werg, Pech).

Kielholen: Ein Schiff so weit neigen, daß der Kiel auftaucht, damit es leichter repariert oder gereinigt werden kann. Als „Kielholen“ bezeichnet man auch eine alte seemännische Strafe, bei der der Übeltäter unter dem Schiff durchs Wasser gezogen wurde.

Kielraum (Bilge): Die unterste „Etage“ des Schiffes, wo sich das Wasser sammelt.

▽ Die Route der *Victoria* von 1519–22. Auf einer solchen Fahrt wurde später von Francis Drake (1577–80) eine Alternativroute vom Atlantik in den Pazifik entdeckt: durch das Umsegeln von Kap Hoorn auf offenem Meer, das heißt südlich der von Magellan entdeckten Straße.

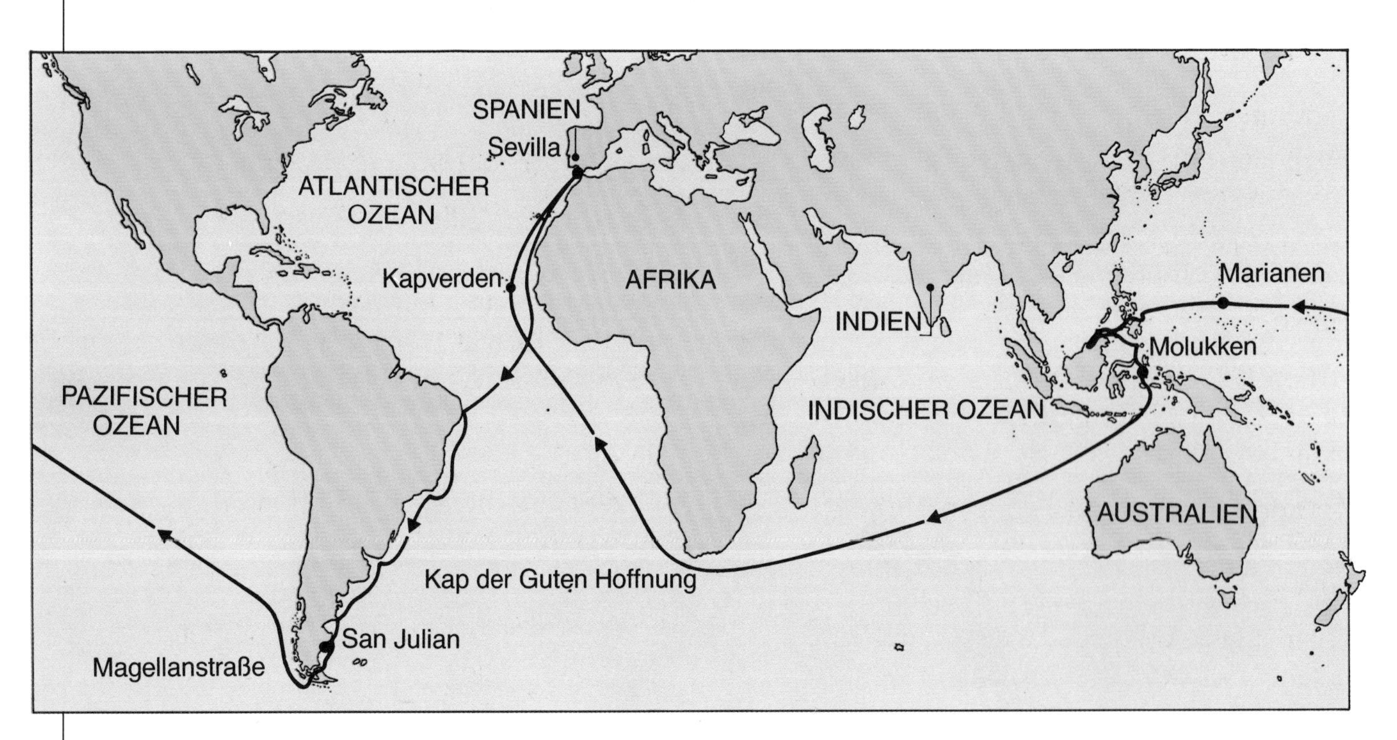